Le monde fabuleux
de mes
5 ans

Ce livre est offert à

par

Texte de l'histoire et de la comptine : Claire Renaud
Illustration de l'histoire et de la comptine : Quentin Greban

Illustration de couverture :
sur une idée de Madeleine Brunelet, réalisée par Frédéric Multier

A CAPPELLA
▪ POUR FLEURUS ▪

Édition : A Cappella Création
Direction artistique : Élisabeth Hebert assistée par Amélie Hosteing
N° d'édition : 06102
ISBN 10 : 2-2150-4628-7 / ISBN 13 : 978-2-2150-4628-8

Le monde fabuleux de mes 5 ans

FLEURUS

Sommaire

Le monde fabuleux de mes 5 ans

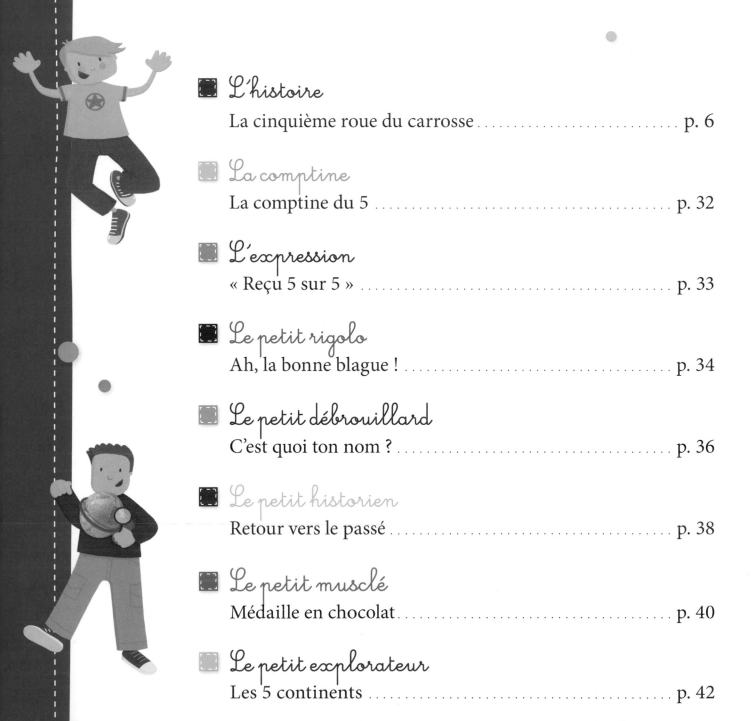

La cinquième roue du carrosse

Il était une fois, dans un royaume lointain, un carrosse magnifique qui appartenait au prince *Jean Tleumane*. Ses fauteuils étaient en velours rouge, ses essieux en or pur, ses roues en pierres précieuses, son toit en ivoire. C'était le plus beau carrosse du royaume et tous les rois des alentours enviaient le prince de posséder un tel trésor.

Comme tous les carrosses, celui du prince possédait
quatre roues, et une cinquième, fixée à l'arrière,
au cas où l'une des roues principales se casserait.
La cinquième roue du carrosse était donc
une roue de secours, au cas où.
Elle se sentait bien seule et bien
inutile à l'arrière du carrosse.

Les quatre autres roues ne se privaient d'ailleurs pas de lui répéter à longueur de journée :
« Regarde ! Nous, nous sommes en pierres précieuses, rubis, émeraudes, saphirs, et toi, tu n'es qu'une pauvre roue en bois toute bête. Tu es ridicule !

« — En plus, tu ne sers à rien ! »

Comme nous sommes en pierres précieuses,
nous sommes très solides et nous ne casserons jamais !

On ne t'utilisera donc jamais !

— Et puis, les gens ne te voient même pas !
Tu es cachée, à l'arrière, alors que nous brillons
de mille feux et que tous se retournent sur notre passage
quand nous roulons. »

Et les quatre roues partaient chaque fois
en roue libre d'un grand éclat de rire.
Toutes les nuits, la petite roue pleurait amèrement
sur son sort et se disait qu'elle allait passer sa vie
ainsi, inutile, ignorée, à l'arrière d'un beau carrosse.

$\mathcal{L}$e prince *Jean Tleumane* était secrètement amoureux de la princesse *Verrie Bioutifoule* qui habitait le royaume d'à-côté. Mais le père de la princesse ne voyait pas cet amour d'un très bon œil. Il avait décidé depuis longtemps de marier sa fille à un vieux roi fort laid et fort avare.

Le prince *Jean Tleumane* avait beau proposer au père son royaume, sa fortune et même son magnifique carrosse, celui-ci ne voulait pas lui donner sa fille. Il la fit même enfermer à double tour dans le plus haut donjon du château, afin que les amoureux ne puissent plus se voir.

La princesse dépérissait de jour en jour et le prince se désespérait de ne plus la voir.

Une nuit, la princesse
envoya au prince un pigeon
voyageur porteur de
ce message :

Mon cher amour,

Je ne supporte plus
d'être séparée de vous.
Aidez-moi !

La princesse Verrie Bioutifoule

$\mathcal{L}$e prince, fou de douleur, renvoya immédiatement le pigeon avec ce message :

Ma douce,
Ne perdez pas espoir !
Tenez-vous prête la nuit prochaine.
Je viendrai vous enlever en carrosse
et nous fuirons tous les deux.
Le prince Jean Tleumane

La nuit suivante, le prince *Jean Tleumane* fit atteler son carrosse et roula à toute allure vers le château de sa princesse. Il gara son carrosse dans la forêt, attendit que tous les habitants du château soient endormis et se faufila sans bruit jusqu'au pont-levis. Là, il assomma le garde et lui vola les clefs du donjon où était enfermée la princesse.

Il courut la délivrer.

Dans la forêt, le carrosse attendait patiemment son prince et sa promise. Mais une bande de voleurs de grand chemin passa par là. Leurs regards furent attirés par le carrosse qui brillait dans la nuit...

comme une étoile dans le ciel.

« Ah ah ah

ricanèrent-ils.

Qui a été assez bête pour laisser un tel trésor sans surveillance ?

Voici un beau butin !

Nous allons gagner beaucoup d'argent en le revendant, de quoi vivre tranquillement jusqu'à la fin de nos jours ! »

$\mathcal{I}$ls jetèrent à terre la cinquième roue, qui n'avait aucune valeur puisqu'elle était seulement en bois, enfourchèrent les chevaux et partirent au triple galop avec le précieux carrosse.

Quand le prince et la princesse arrivèrent à bout de souffle dans la forêt, ils ne trouvèrent qu'une pauvre petite roue toute seule à la place du beau carrosse :

« Mon Dieu, s'écria la princesse, on a volé le carrosse ! Nous ne pourrons jamais nous enfuir, et j'entends les chiens de mon père qui approchent.

Qu'allons-nous faire ?

Tout est perdu ! »

« Attendez, ma princesse, j'ai une idée : nous allons fixer la cinquième roue que voilà devant cette cagette de maraîcher qui traîne sur le bord du chemin, et je vous transporterai jusqu'à mon château. »

Le prince, qui était fin bricoleur, fixa la cinquième petite roue, enfonça deux grosses branches d'arbre pour faire les poignées et la princesse s'assit dans cette brouette de fortune.

La charge parut bien lourde aux petites épaules de la petite roue !

Et elle devait tout porter toute seule !

$\mathcal{L}$e prince l'encouragea comme il put :

« Je t'en prie, petite roue, emmène-nous loin d'ici, sauve-nous, notre vie dépend de toi ! »

Le prince se mit à pousser la brouette et, n'écoutant que son courage, la cinquième petite roue porta vaillamment tout le poids de ce drôle d'équipage.

Bientôt le prince se mit à courir, car les chiens les poursuivaient toujours. La cinquième petite roue tenait toujours bon.

Elle roula, roula, jusqu'à n'en plus pouvoir.

Quand ils arrivèrent enfin au château du prince *Jean Tleumane*, la petite roue tomba évanouie, à bout de forces. Le prince et la princesse coururent se réfugier à l'intérieur.

$\mathscr{L}$e lendemain, on célébra dans tout le royaume le mariage du prince *Jean Tleumane* et de la princesse *Verrie Bioutifoule.* Et devinez qui les emmena à l'église ?

La cinquième petite roue du carrosse, bien sûr !

On l'avait parée de pierres précieuses, pour l'occasion !

Et comme elle était fière, devant sa brouette ! Une brouette ?
Mais oui, le prince et la princesse avaient décidé de conserver
ce mode de transport un peu particulier et pas très confortable,

mais qui leur avait sauvé la vie.

Ce fut donc le cortège le plus original qu'on ait vu depuis longtemps : une petite roue toute guillerette, une simple brouette, décorée de tulle et de fleurettes,

une princesse en goguette

et un prince avec des rêves fous plein la tête !

La comptine du 5

5 ans !

Tu es grand maintenant !

Ton pouce, tu ne le suces plus depuis longtemps !

Ton index, tu ne le pointes plus sur les gens.

Ton majeur, tu en ronges encore l'ongle secrètement…

Ton annulaire n'a pas d'alliance,

avant de te marier, tu as encore le temps !

Mais ton petit doigt si charmant

te dit que, même si tu es déjà grand,

les bêtises, à 5 ans,

c'est toujours aussi marrant !

« Reçu 5 sur 5 »

Quand on dit : « Je te reçois 5 sur 5 ! »,
cela signifie qu'on a très bien entendu
ce que nous a dit la personne qui nous a parlé.
Les militaires américains ont inventé cette expression
pour confirmer qu'ils avaient entendu

fort et clair
un message radio.

Ah, la bonne blague !

De petits jeux pour passer le temps en s'amusant : une charade pour amuser tes amis, une blague pour rire aux éclats et un dessin à colorier, sans dépasser !

▶ Charade

Mon premier est un animal avec de grandes oreilles qui fait hi-han.
Mon deuxième est l'endroit où les oiseaux pondent leurs œufs.
Mon troisième est la couleur de l'herbe.
Mon quatrième est la griffe de l'aigle.

On fête mon tout chaque année le jour de ta naissance.

Pour la deuxième fois,
un zèbre propose
à boire au zébu.
Ce dernier répond :
« Non, merci, z'ai bu…
z'ai plus soif ! »

▶ Le dessin surprise

Colorie en suivant le code couleurs
pour découvrir ce qui se cache dans ce dessin.

C'est quoi ton nom ?

Depuis la rentrée,
l'alphabet n'a plus de secrets pour toi.

Amuse-toi !

Montre avec ton doigt les lettres de l'alphabet
qui forment ton prénom. Écris-le avec ton
nom de famille dans les lignes ci-dessous.

Mon alphabet

a b c d e f g
h i j k l m n
o p q r s t u
v w x y z

Retour vers le passé

Une reine, un marin, un écrivain,
des inventeurs et un astronaute...
Découvre ces **5** grands personnages
qui ont marqué l'Histoire.

Cléopâtre

Cléopâtre était une grande reine
d'Égypte, le pays des pyramides
et des pharaons. Elle était intelligente
et très belle. Selon la légende,
elle avait aussi un long nez.

Christophe Colomb

Christophe Colomb était un marin
italien. En 1492, il partit vers l'inconnu
avec trois caravelles (des bateaux
à voiles). Au bout du voyage, il trouva
l'Amérique.

Jean de La Fontaine

Jean de La Fontaine a écrit des petites histoires où les animaux parlent, les fables. La plus connue est *Le Corbeau et le renard*. Tu l'apprendras peut-être à l'école.

Neil Armstrong

En 1969, l'astronaute américain Neil Armstrong fut le premier homme à marcher sur la Lune. De leur merveilleux voyage, les astronautes ont rapporté des pierres lunaires !

Les frères Montgolfier

Les frères Étienne et Joseph Montgolfier construisirent la première montgolfière : un ballon en tissu rempli d'air chaud avec un panier en osier accroché en dessous. Les premiers passagers furent un mouton, un coq et un canard ! Quel drôle d'équipage !

Médaille en chocolat

Les Jeux olympiques sont l'occasion de découvrir plein de sports : athlétisme, natation, judo, ski, patinage...

Les 5 anneaux

Sur le drapeau olympique, il y a 5 anneaux qui représentent les 5 continents : les Amériques, l'Eurasie (Europe et Asie), l'Océanie, l'Afrique et l'Antarctique.

Les Jeux olympiques sont nés il y a très longtemps en Grèce, dans la ville d'Olympie. Il y avait des courses, des lancers de disque ou de javelot, de la lutte, des courses de chevaux et aussi des concours de flûte et de poésie !

En 1900, le Français Pierre de Coubertin réinvente les Jeux olympiques. Comme autrefois, les Jeux ont lieu tous les quatre ans et on allume la flamme olympique. Les champions reçoivent des médailles, en or, en argent ou en bronze.

Un continent est un grand morceau de terre entouré par des océans. Sur terre, il y en a **5**.

Océan
Pacifique

Amérique

O...
Atl...

L'Amérique

En Amérique, il y a beaucoup de paysages différents : de grands lacs gelés au Canada, de grandes villes comme New York, et, en Amérique du Sud, la plus grande forêt du monde, l'Amazonie.

L'Antarctique

L'Antarctique est le continent le plus froid du monde. La glace est très épaisse et le vent glacial souffle très fort. On y trouve des manchots et des phoques.

continents

L'Eurasie

L'Eurasie regroupe l'Europe et l'Asie. La France se trouve en Europe. L'Asie est le continent le plus peuplé du monde.

L'Océanie

En Océanie, il y a une grande île, l'Australie. C'est le pays des kangourous et des koalas.

L'Afrique

L'Afrique est le continent le plus chaud du monde. Beaucoup d'animaux sauvages y vivent : zèbres, girafes, hippopotames, lions, gazelles, éléphants, dromadaires...

Maman, y a quoi après le 4 ?

Sais-tu compter et reconnaître les chiffres jusqu'à 10 ?

Compte à voix haute combien il y a de canards, ballons, cerfs-volants, voitures, soleils, bonbons, fleurs, crayons, poissons et sucettes dans chaque rond. Tu peux utiliser tes doigts et même demander à un adulte quand tu ne sais plus.

Cherche le 5 !

La chambre de Lucas est vraiment
en désordre. Retrouve les 5 objets
sur lesquels on voit le chiffre 5 !

Attention ! Monstre mangeur de balles !

Dessine et peins
ton monstre pour
devenir un champion
de lancer de balles !

Pour fabriquer
un monstre,
il te faut :

une boîte
de céréales

un cutter*

de la peinture

de petites balles
(de ping-pong, en mousse, en papier
froissé entouré de Scotch…)

des pinceaux

un crayon
à papier

1. Peins toute la boîte. Avec le crayon à papier, dessine un gros rond pour faire la tête du monstre.

2. Dessine le nez, les yeux et la grande bouche de ton monstre. Bouh !

3. Vérifie que la bouche est assez grande pour pouvoir lancer les balles à l'intérieur.

4. Demande à un adulte de couper la bouche avec le cutter.

5. Avec la peinture et les pinceaux, peins ton joli monstre…

6. Sur une table, pose la boîte debout. Voilà, il est prêt pour s'amuser avec toi !

Avec tes copains, reculez de 5 pas et visez bien. Celui qui fait entrer le plus de balles dans la bouche du monstre a gagné !

Do, ré, mi, fa, sol....

Découvre **5** instruments de musique.

◄ Le violoncelle

Le violoncelle est un instrument à quatre cordes beaucoup plus grand que le violon. On frotte les cordes avec un archet (une baguette sur laquelle sont tendus des crins de cheval) pour produire les sons.

do ré mi fa sol la si do

Le hautbois ►

Le hautbois est un instrument à vent. Près de l'endroit où on souffle, il y a deux petites languettes appelées anches qui, en vibrant, produisent un son.

La portée musicale

C'est 5 lignes qui servent à écrire la musique. La clef de sol est un repère, elle indique la position de la note *sol*.

La trompette ›

La trompette est un instrument de la famille des cuivres. Il faut souffler très fort et appuyer sur des petits pistons pour faire les différentes notes.

‹ La guitare

La guitare est un instrument à six cordes que l'on pince avec les doigts.
Si on doit la brancher, c'est une guitare électrique !

Les cymbales ›

Les cymbales font partie du groupe d'instruments appelés les percussions car on les tape entre elles pour produire un « bang ». Elles ressemblent à des chapeaux chinois.

Rêves d'avenir...

Quels sont tes plus beaux rêves pour quand tu seras grand ? Voici 5 idées de métiers.

◄ Footballeur

Le football est un sport avant d'être un métier. Pour devenir un bon joueur, il faut beaucoup s'entraîner. Quand on joue dans l'équipe de France, on part souvent à l'étranger. Les footballeurs français sont appelés les Bleus.

Informaticien ➤

L'informaticien passe sa journée devant un ordinateur. Il utilise des formules très compliquées. Certains informaticiens inventent des programmes pour piloter des avions, créer des jeux vidéo... D'autres fabriquent des ordinateurs.

Spationaute >

Le spationaute voyage dans l'espace dans une navette spatiale. Il flotte dans l'air et porte une combinaison, et un casque pour respirer.
Certains spationautes marchent sur la Lune, d'autres voyagent autour de la Terre.

< Pilote d'avion

Le pilote conduit un avion qui transporte des passagers ou des colis. Il doit faire très attention au moment où l'avion quitte le sol, au décollage, et quand l'avion se pose, à l'atterrissage.

Volcanologue >

Le volcanologue étudie les volcans.
Il essaie de prévoir le moment où un volcan va se réveiller. Il ramasse des roches à côté des volcans et les étudie.
Pour s'approcher des volcans, il doit mettre une combinaison spéciale qui le protège de la très forte chaleur.

Drôles de bêtes

Voici 5 animaux : un qui rampe, un qui vole,
un qui nage, un qui marche et un qui saute !
Il y en a un de plus, qui fait deux choses à la fois ! À toi de le trouver !

Le serpent

Le serpent est un reptile. Il rampe. Il mange des grenouilles, des rongeurs, des poissons. Certains serpents sont très dangereux, leur venin peut tuer. En France, il faut faire attention aux vipères.

La cigogne

La cigogne est un grand oiseau blanc ou noir avec un bec et des pattes rouges. Elle construit des nids gigantesques sur les cheminées des maisons. En hiver, la cigogne part en vacances en Afrique, elle rentre en Europe au printemps.

Le dauphin ❯

Le dauphin est un mammifère, il ne sait pas respirer sous l'eau comme les poissons. Il a besoin d'air comme toi. Les dauphins aiment la compagnie des hommes. Ils suivent les bateaux en faisant de grands bonds.

❮ La fourmi

Les fourmis vivent ensemble dans une four-milière. Elles sont au service de la reine, plus grande et plus grosse, qui pond les œufs. Regarde-les dans ton jardin ou au parc.

Le kangourou ❯

Le kangourou vit en Australie. Ses pattes arrière sont si grandes et si musclées qu'il fait des sauts de plusieurs mètres. Le petit kangourou vit les huit premiers mois de sa vie dans la poche ventrale de sa maman.

La tortue de mer

La tortue a deux vies : une sous l'eau et une sur terre. Sur le sol, elle n'est pas très rapide mais, dans l'eau, c'est un vrai bolide !

Miam miam miam

Un bon gâteau au chocolat pour se faire de belles moustaches de chat !

1. Demande à un adulte d'allumer le four à 180°C (thermostat 5).
Dans un grand récipient qui peut aller au micro-ondes, casse le chocolat en petits carrés et mets le morceau de beurre.
Fais chauffer le tout 2 minutes au micro-ondes.

2. Ajoute ensuite le sucre et mélange avec une cuillère en bois.

3. Ajoute les œufs (sans la coquille !) et mélange encore.

4.

Un dernier petit effort :
ajoute la farine petit à petit
et mélange encore.

5.

Verse la pâte dans un moule.

6.

Demande à un adulte de mettre le gâteau
dans le four pendant 30 à 40 minutes.

Les ingrédients

– 200 g de chocolat noir à pâtisserie
– 200 g de sucre
– 100 g de beurre demi-sel
– 150 g de farine
– 4 œufs

Ton gâteau est prêt !
Laisse-le refroidir
avant de le déguster
avec ta bande de copains
gourmands à l'heure du goûter !

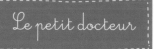

Comme les 5 doigts de la main

Ta main a 5 doigts :
comment s'appellent-ils et à quoi servent-ils ?

Il paraît que le petit doigt est celui qui entend tout !

D'ailleurs, mon petit doigt me dit que tu aimerais faire un jeu...

Amuse-toi à tracer ici le contour de tes doigts, tu auras un souvenir de ta main à 5 ans !

Chaque main a 5 doigts et chaque doigt a un nom.

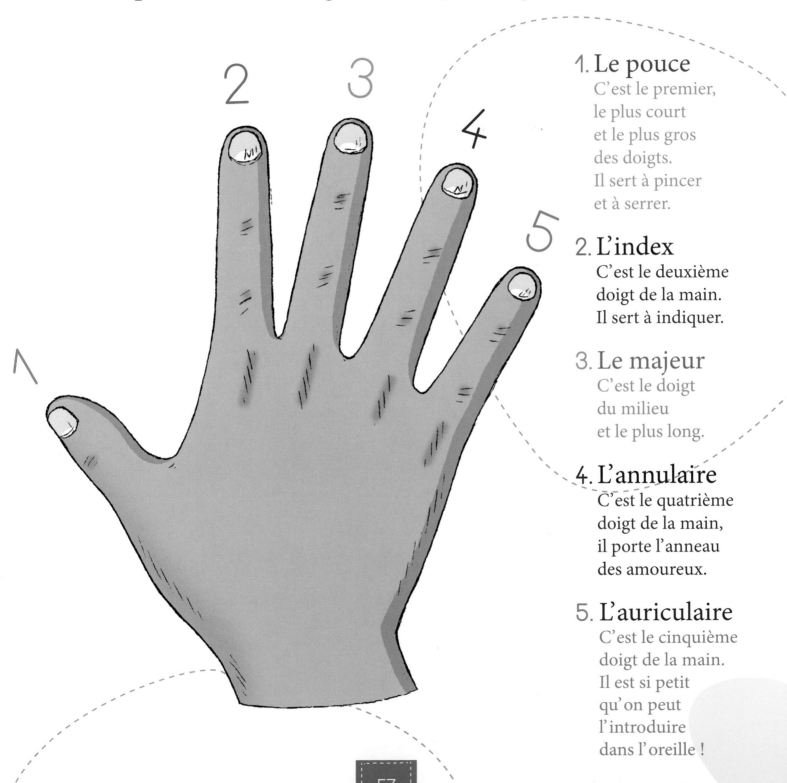

1. **Le pouce**
   C'est le premier, le plus court et le plus gros des doigts. Il sert à pincer et à serrer.

2. **L'index**
   C'est le deuxième doigt de la main. Il sert à indiquer.

3. **Le majeur**
   C'est le doigt du milieu et le plus long.

4. **L'annulaire**
   C'est le quatrième doigt de la main, il porte l'anneau des amoureux.

5. **L'auriculaire**
   C'est le cinquième doigt de la main. Il est si petit qu'on peut l'introduire dans l'oreille !

5 sens artistiques !

Voici **5** arts, correspondant
à tes **5** sens.

◀ La peinture et la vue

Les peintres peignent des tableaux avec
de la peinture à l'eau, à l'huile ou acrylique.
Au musée, ouvre bien les yeux pour découvrir
tous les détails qui font la beauté d'un tableau !

La musique et l'ouïe ▶

Ouvre bien tes oreilles,
écoute les instruments, les voix
des chanteurs, les rythmes.
Classique, rock, pop, à toi de choisir.

La cuisine et le goût ❯

Prépare tes papilles pour goûter les saveurs, les épices. Salé, acide, sucré, amer. La cuisine est un art !

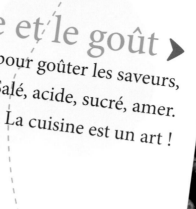

❮ La parfumerie et l'odorat

Affûte bien ton nez pour partir à la recherche de ces bonnes odeurs ! Musc ou ambre, jasmin, rose ou violette. Chaque mélange crée un parfum unique.

La sculpture et le toucher ❯

Pierre, marbre, bois, ou même fer, le sculpteur taille, creuse, polit. Mais attention, dans les musées, il est interdit de toucher les statues !

Feuille à feuille

Quand tu te promènes,
tu ramasses souvent des feuilles.
À quel arbre appartiennent-elles ?

‹ L'olivier

L'olivier est un arbre qui aime la lumière
et la chaleur. Il vit très longtemps.
Ses feuilles sont vert foncé d'un côté,
argentées de l'autre. Ses fruits sont
les olives vertes ou noires.

Le châtaignier ›

Le châtaignier est un arbre majestueux.
Son fruit est la châtaigne.
Elle se cache dans une coquille
pleine de piquants, la bogue.
Ses feuilles sont longues et dentelées.

‹ Le chêne

Le chêne est un arbre qui pousse lentement, mais vit très longtemps, jusqu'à 600 ans ! Son fruit est le gland et ses feuilles sont vert foncé.

L'érable ›

L'érable est un bel arbre qui peut vivre jusqu'à 150 ans. À l'automne, ses feuilles deviennent jaune et rouge vif, avant de tomber. Ses fruits ailés s'appellent aussi « hélicoptères ».

▲ Le sapin

Le sapin a des aiguilles vertes toute l'année. Quand elles tombent, elles sont aussitôt remplacées. Le fruit du sapin est la pomme de pin.

Ton herbier

Après avoir choisi les feuilles, fais-les sécher entre deux feuilles de papier blanc sous des gros livres.
Attends quatre semaines…
Ça y est, tu peux enfin placer tes feuilles séchées dans un joli cahier !

Sport et compagnie

Maintenant que tu es grand,
tu sais jouer avec les autres.
Tu pourras t'entraîner dans un club à partir de 6 ans.

Le football

Le football est un sport d'équipe. Il y a onze joueurs sur le terrain. Tu apprendras à jouer. Plus comme un bébé qui doit toujours gagner, mais comme un grand qui comprend les règles du jeu !

Bientôt, tu auras **6** ans et tu pourras découvrir :

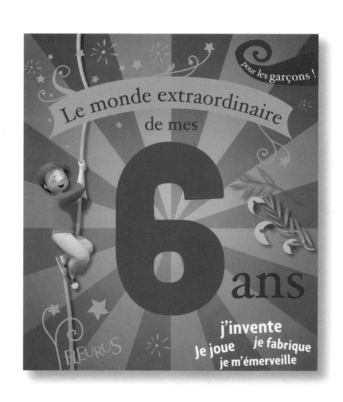

Le monde extraordinaire de mes **6** ans

pour les garçons !

j'invente
Je joue   je fabrique
je m'émerveille

FLEURUS

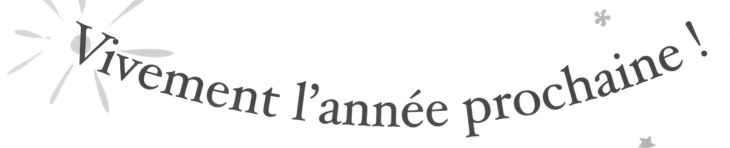

Vivement l'année prochaine !

Illustrations d'ouverture de rubrique :
Marianne Dupuy-Sauze

Illustrations :
Madeleine Brunelet (p. 33), Thierry Laval (pp. 34-35), Marc Lizano (pp. 38-39),
Guillaume Trannoy (pp. 42-43), Thérèse Bonté (pp. 44-45, 50-51),
Stefany Devaux (pp. 46-47), Marianne Dupuy-Sauze (pp. 54-55, 63)
François Daniel (p. 57), Pascal Vilcollet (p. 61), Sophie Jansem (pp. 42, 62)

Crédits photographiques :
pp. 40-41 ph © Prevosto Olivier/Corbis Sygma – p. 46, ph © Lionel Antoni
p. 48h, ph © Gary Salter/Zefa/Corbis – p. 48b, © Dorling Kindersley/Getty
p. 49h, ph © Frithjof Hirdes/Zefa/Corbis – p. 49m, ph © Karen Mason Blair/Corbis
p. 49b, ph © Laurie Rubin/Getty – p. 52h, ph © David A. Northcott/Corbis
p. 52b, ph © Roger Tidman/Corbis – p. 53h, ph © Craig Tuttle/Corbis
p. 53mh, ph © George B. Diebold/Corbis – p. 53mb, ph © Theo Allofs/Zefa/Corbis
p. 53b, ph © Zena Holloway/Getty – p. 58h, ph © W. Cody/Corbis
p. 58b, ph © Kimberly White/Corbis – p. 59h, ph © Lionel Antoni – p. 59m, ph © Rita Maas/Getty
p. 59b, ph © Peter Beck/Corbis – p. 60h, ph © Wolfgang Kaehler/Corbis
p. 60b, ph © Frank Krahmer/Zefa/Corbis – p. 61h, ph © Ingrid von Hoff/Zefa/Corbis
p. 61m, ph © Markus Botzek/Zefa/Corbis – p. 61b, ph © Adrianna Williams/Zefa/Corbis

Photogravure : Penez Édition
Achevé d'imprimer en septembre 2006 par Holinail, Chine
Dépôt légal : octobre 2006

Mes rêves
les plus grands

Le sport que
je pratique

Ma chanson
préférée

Mon premier
voyage

La blague qui me
fait le plus rire
